我能表达自己故事绘本

我不急躁

把话听完再说

廉东星\主编

海豚出版社
DOLPHIN BOOKS
中国国际出版集团
CIPG

图书在版编目（CIP）数据

我能表达自己故事绘本 / 廉东星主编. -- 北京：
海豚出版社，2017.7
ISBN 978-7-5110-3933-0

I. ①我… II. ①廉… III. ①儿童故事－图画故事－
中国－当代 IV. ①I287.8

中国版本图书馆 CIP 数据核字 (2017) 第 163557 号

书　　名：我能表达自己故事绘本
主　　编：廉东星
责任编辑：慕君黎　张运玲
出　　版：海豚出版社
网　　址：http://www.dolphin-books.com.cn
地　　址：北京市百万庄大街 24 号
邮　　编：100037
电　　话：010－68997480（销售）
　　　　　010－68998879（总编室）
传　　真：010－68994018
印　　刷：武汉华中文博印务有限公司
经　　销：新华书店及各网络书店
开　　本：16 开（710 毫米*1000 毫米）
印　　张：16
字　　数：20 千字
版　　次：2017 年 10 月第 1 版 2017 年 10 月第 1 次印刷
标准书号：ISBN 978-7-5110-3933-0
定　　价：120.00 元（全 8 册）

若因印装质量问题影响阅读，请与承印厂联系退换。

丫丫是一只热心肠的小鸭子。

但她做事总是急急躁躁的，常常不等别人把话说完就急匆匆地跑开了。

1

鹅大婶想去山羊爷爷家附近的池塘，丫丫却把她送到了山羊爷爷家。

猪伯伯要去医院看朋友，丫丫却告诉猪大婶猪伯伯受伤了。

……

妈妈说了丫丫很多次，但丫丫还是改不了急躁的毛病。

这不,隔壁的牛爷爷生病了,很想吃咸鸭蛋。

丫丫听说后,就想做些咸鸭蛋给牛爷爷送去。

可是,咸鸭蛋要怎么做呢?

"对了,隔壁的鸭大婶应该会,我去问问她。"丫丫扑扇着翅膀朝鸭大婶家跑去。

鸭大婶说："做咸鸭蛋啊，这个简单，一斤盐加两斤水，然后……"

"好的，我知道啦，谢谢你！"丫丫不等鸭大婶说完就急匆匆地跑回家了。

回到家，丫丫把一斤盐加到两斤水里调好。然后捏着自己的鼻子"咕噜咕噜"地喝下去了。

第二天，丫丫生了一个蛋，她尝了尝，并没有变成咸鸭蛋。没办法，丫丫只好硬着头皮再去问鸭大婶。

鸭大婶听了丫丫的方法，笑得嘴都合不拢了。丫丫有点不好意思地看着鸭大婶，又挠了挠自己的脑袋。

　　鸭大婶好不容易止住笑，说："你没有把我的话听完就跑掉了，一斤盐加两斤水调好，然后把鸭蛋放进去腌制，过几天就会变成咸鸭蛋了。"

　　丫丫听完，羞愧地低下了头。

　　这天，鸭妈妈对丫丫说："丫丫，你帮我把这些猕猴桃送去梅花鹿阿姨家。"

　　"好的，我知道了。"丫丫接过篮子，转身就走。

　　"你要记得告诉梅花鹿阿姨，这些猕猴桃是刚刚从树上摘下来的，要放置几天后才能吃……等等，妈妈的话还没有说完呢！"鸭妈妈看着丫丫远去的身影很是无奈。

"梅花鹿阿姨,我来送
猕猴桃啦!"丫丫有礼貌
地敲着门。

"原来是丫丫呀!
快进屋来。"梅花鹿阿
姨打开门,欢迎丫
丫的到来。

　　"谢谢丫丫妈妈送来的猕猴桃，
来，丫丫吃一个。"梅花鹿阿姨揭开篮子，拿出一个猕猴桃
递给丫丫，自己也拿起一个，剥开吃起来。
　　"哎呀！怎么这么涩口！好难吃呀！"梅花鹿阿姨和
丫丫异口同声道。

　　晚上回到家后，丫丫把这件事告诉了妈妈。

　　妈妈摇了摇头，叹气道："丫丫你总是这样，就是因为你总是不把话听完，才会好心办了坏事。"

"妈妈，这一定是大家说的话都不愿意留在我的耳朵里。"

"傻孩子，这都是因为你的性格太过急躁了。"

丫丫想了想，因为自己的性格急躁，经常闹笑话，还给大家添了不少麻烦。

她明白这样下去可不是办法，一定要改掉这个坏毛病才行！

丫丫问妈妈："妈妈，我要怎样才能改掉这个急躁的毛病呢？"

鸭妈妈摸着丫丫的头说："好孩子，只要你每次认认真真地把别人的话听完，你就会发现变化了。"

丫丫似懂非懂地点点头。

　　过了几天，丫丫突然想种些萝卜吃，于是她来请教小白兔。

　　丫丫说："小白兔，请你告诉我怎样种萝卜吧！"

　　小白兔说："种萝卜很简单，先挖些坑，再把种子撒进去，然后……"

小白兔的话还没说完，丫丫转身又想跑，她想：种萝卜原来这么简单啊，我知道怎么做了。

突然，丫丫想起了妈妈跟她说过的话：要把别人的话听完。

于是丫丫转过身，继续听小白兔讲话："种下种子后，用土将种子盖好，每天定时给种子浇水、施肥……"

小白兔又说了一些需要注意的事，丫丫一直等到小白兔说完，才对小白兔说："谢谢你，小白兔，如果我有什么不懂的地方，再来问你。"

丫丫回到家,用心细细地想了想小白兔说的话,照着小白兔说的方法种下了种子。

之后,她每天认真地给种子浇水、施肥,期待着它们快快长大。

很快,种子就发芽了,丫丫看着绿油油的小苗,心里高兴极了。

她想:幸亏我听完了小白兔的话。

这天，牛爷爷带着牛宝宝来丫丫家。

牛宝宝手里拿着两个苹果，牛爷爷说："牛宝宝，给丫丫姐姐一个苹果吧。"

牛宝宝听了，看了看手上的
两个苹果，突然，他张开嘴巴，往
两个苹果上各咬了一口。

牛爷爷一看，生气地朝牛宝宝喊道："你在做什么？你怎么能这么没礼貌呢！"

"我……我只是……"牛宝宝被吓了一跳，他眼里含着眼泪，哭都不敢哭。

"快点向丫丫姐姐道歉。"牛爷爷吼道。

24

丫丫看出了牛宝宝的委屈，对牛爷爷说："牛爷爷，你先别急，牛宝宝这么做一定是有原因的，我们先让牛宝宝把话说完吧。"丫丫现在变得很有礼貌了。

牛宝宝终于"哇"地一声哭了："我只是想尝一尝哪个苹果比较甜，想把甜的苹果给丫丫姐姐……"

"啊？哈哈，牛宝宝，你真是太可爱了！"丫丫和牛爷爷都笑了起来。

"丫丫，你现在变得又懂事又有礼貌了，再也不急躁不莽撞了。"牛爷爷摸了摸丫丫的头。

丫丫不好意思地笑着说："牛爷爷，我要学习的东西还有很多呢！"

动动手

　　小鸭子丫丫实在太急躁了,总是不听完别人的话就慌忙地跑了。大家有没有这个坏习惯呢?做个彩泥小鸭子,记得看完步骤再做噢。

小鸭子制作步骤

搓个圆球,再搓个大点的圆球,捏成椭圆,尾部微上翘。

捏出小鸭的翅膀、嘴巴和眼睛。

将嘴巴和眼睛粘好。

再将身体粘上。

最后粘上翅膀。

大脑转一转

先写出正确的序号,再把图片和文字相连。

播种   洒水   发芽   施肥

画一画

做事情不能急躁，要有耐心。观察示例图片，画一画发芽的小苗吧。